O Cavaleiro da Dinamarca

# O Cavaleiro da Dinamarca

Sophia de Mello Breyner Andresen

Publicado por
Porto Editora

Ilustrações de Henrique Cayatte

1.ª edição da obra: 1964
57.ª edição da obra (1.ª na Porto Editora): novembro de 2013
60.ª edição da obra: novembro de 2015

Considerando a sua possível leitura em contexto escolar, este livro respeita as regras do Acordo Ortográfico da Língua Portuguesa, assumindo o editor a responsabilidade desta adaptação.

 Porto Editora

Rua da Restauração, 365
4099-023 Porto | Portugal

www.**portoeditora**.pt

Execução gráfica **Bloco Gráfico, Lda.**
Unidade Industrial da Maia.

DEP. LEGAL 400185/15
ISBN 978-972-0-72635-3

Sophia de Mello Breyner Andresen

# O Cavaleiro
# da Dinamarca

Ilustrações de **Henrique Cayatte**

Porto
Editora

A Dinamarca fica no Norte da Europa. Ali os invernos são longos e rigorosos, com noites muito compridas e dias curtos, pálidos e gelados. A neve cobre a terra e os telhados, os rios gelam, os pássaros emigram para os países do Sul à procura de sol, as árvores perdem as suas folhas. Só os pinheiros continuam verdes, no meio das florestas geladas e despidas. Só eles, com os seus ramos cobertos por finas agulhas duras e brilhantes, parecem vivos no meio do grande silêncio imóvel e branco.

Há muitos anos, há dezenas e centenas de anos, havia em certo lugar da Dinamarca, no extremo norte do país, perto do mar, uma grande floresta de pinheiros, tílias, abetos e carvalhos. Nessa floresta morava com a sua família um Cavaleiro. Viviam numa casa construída numa clareira rodeada de bétulas. E em frente da porta da casa havia um grande pinheiro, que era a árvore mais alta da floresta.

Na primavera as bétulas cobriam-se de jovens folhas, leves e claras, que estremeciam à menor aragem. Então a neve desaparecia e o degelo soltava as águas do rio que corria ali perto e cuja corrente recomeçava a cantar noite e dia entre ervas, musgos e

7

pedras. Depois a floresta enchia-se de cogumelos e morangos selvagens. Então os pássaros voltavam do Sul, o chão cobria-se de flores e os esquilos saltavam de árvore em árvore. O ar povoava-se de vozes e de abelhas e a brisa sussurrava nas ramagens.

Nas manhãs de verão verdes e doiradas, as crianças saíam muito cedo, com um cesto de vime enfiado no braço esquerdo e iam colher flores, morangos, amoras, cogumelos. Teciam grinaldas, que poisavam nos cabelos ou que punham a flutuar no rio. E dançavam e cantavam nas relvas finas, sob a sombra luminosa e trémula dos carvalhos e das tílias. Passado o verão, o vento de outubro despia os arvoredos, voltava o inverno, e de novo a floresta ficava imóvel e muda, presa em seus vestidos de neve e gelo.

No entanto, a maior festa do ano, a maior alegria, era no inverno, no centro do inverno, na noite comprida e fria do Natal.

Então havia sempre grande azáfama em casa do Cavaleiro. Juntava-se a família e vinham amigos e parentes, criados da casa e servos da floresta. E muitos dias antes já o cozinheiro amassava os bolos de mel e trigo, os criados varriam os corredores, e as escadas e todas as coisas eram lavadas, enceradas e polidas. Em cima das portas eram penduradas grandes coroas de azevinho e tudo ficava enfeitado e brilhante. As crianças corriam agitadas de quarto em quarto, subiam e desciam a correr as escadas, faziam recados, ajudavam nos preparativos. Ou então ficavam caladas e, cismando, olhavam pelas janelas a floresta enorme e pensavam na história maravilhosa dos três reis do Oriente, que vinham a caminho do presépio de Belém.

Lá fora havia gelo, vento, neve. Mas em casa do Cavaleiro havia calor e luz, riso e alegria.

E na noite de Natal, em frente da enorme lareira, armava-se uma mesa muito comprida onde se sentavam o Cavaleiro, a sua mulher, os seus filhos, os seus parentes e os seus criados.

Os moços da cozinha traziam as grandes peças de carne assada e todos comiam, riam e bebiam vinho quente e cerveja com mel.

Terminada a ceia, começava a narração das histórias. Um contava histórias de lobos e ursos, outro contava histórias de gnomos e anões. Uma mulher contava a lenda de Tristão e Isolda e um velho de barbas brancas contava a lenda de Alf, rei da Dinamarca, e de Sigurd. Mas as mais belas histórias eram as histórias do Natal, as histórias dos Reis Magos, dos pastores e dos Anjos.

A noite de Natal era igual todos os anos. Sempre a mesma festa, sempre a mesma ceia, sempre as grandes coroas de azevinho penduradas nas portas, sempre as mesmas histórias. Mas as coisas tantas vezes repetidas e as histórias tantas vezes ouvidas pareciam cada ano mais belas e mais misteriosas.

Até que, certo Natal, aconteceu naquela casa uma coisa que ninguém esperava. Pois, terminada a ceia, o Cavaleiro voltou-se para a sua família, para os seus amigos e para os seus criados e disse:

– Temos sempre festejado e celebrado juntos a noite de Natal. E esta festa tem sido para nós cheia de paz e alegria. Mas de hoje a um ano não estarei aqui.

– Porquê? – perguntaram os outros todos com grande espanto.

9

– Vou partir – respondeu ele. – Vou em peregrinação à Terra Santa e quero passar o próximo Natal na gruta onde Cristo nasceu e onde rezaram os pastores, os Reis Magos e os Anjos. Também eu quero rezar ali. Partirei na próxima primavera. De hoje a um ano estarei em Belém. Mas passado o Natal regressarei aqui e de hoje a dois anos estaremos, se Deus quiser, reunidos de novo.

Naquele tempo as viagens eram longas, perigosas e difíceis, e ir da Dinamarca à Palestina era uma grande aventura. Quem partia poucas notícias podia mandar e, muitas vezes, não voltava. Por isso a mulher do Cavaleiro ficou aflita e inquieta com a notícia. Mas não tentou convencer o marido a ficar, pois ninguém deve impedir um peregrino de partir.

Na primavera o Cavaleiro deixou a sua floresta e dirigiu-se para a cidade mais próxima, que era um porto de mar. Nesse porto embarcou e, levado por bom vento que soprava do norte para o sul, chegou muito antes do Natal às costas da Palestina. Dali seguiu com outros peregrinos para Jerusalém.

Visitou um por um os lugares santos. Rezou no Monte do Calvário e no Jardim das Oliveiras, lavou a sua cara nas águas do Jordão e viu, no luminoso inverno da Galileia, as águas azuis do lago de Tiberíade. Procurou nas ruas de Jerusalém, no testemunho mudo das pedras, o rasto de sangue e sofrimento que ali deixou o Filho do Homem perseguido, humilhado e condenado. E caminhou nos montes da Judeia, que um dia ouviram anunciar o mandamento novo do amor.

Quando chegou o dia de Natal, ao fim da tarde, o Cavaleiro dirigiu-se para a gruta de Belém. Ali rezou toda a noite. Rezou no lugar onde a Virgem, São José, o boi, o burro, os pastores, os Reis Magos e os Anjos tinham adorado a criança acabada de nascer. E, quando na torre das igrejas bateram as doze badaladas da meia-
-noite, o Cavaleiro julgou ouvir, num cântico altíssimo cantado por multidões inumeráveis, a oração dos Anjos:

«Glória a Deus nas alturas e paz na terra aos homens de boa vontade.»

Então desceu sobre ele uma grande paz e uma grande confiança e, chorando de alegria, beijou as pedras da gruta.

Rezou muito, nessa noite, o Cavaleiro. Rezou pelo fim das misérias e das guerras, rezou pela paz e pela alegria do mundo. Pediu a Deus que o fizesse um homem de boa vontade, um homem de vontade clara e direita, capaz de amar os outros. E pediu também aos Anjos que o protegessem e guiassem na viagem de regresso, para que, daí a um ano, ele pudesse celebrar o Natal na sua casa com os seus.

Passado o Natal o Cavaleiro demorou-se ainda dois meses na Palestina, visitando os lugares que tinham visto passar Abraão e David, os lugares que tinham visto passar a Arca da Aliança, o cortejo da Rainha do Sabá e seus camelos carregados de perfumes, os exércitos da Babilónia, as legiões romanas e Cristo pregando às multidões.

Depois, em fins de fevereiro, despediu-se de Jerusalém e, na companhia de outros peregrinos, partiu para o porto de Jafa.

Entre esses peregrinos havia um mercador de Veneza com quem o Cavaleiro travou grande amizade.

Em Jafa foram obrigados a esperar pelo bom tempo e só embarcaram em meados de março.

Mas, uma vez no mar, foram assaltados pela tempestade. O navio ora subia na crista da vaga, ora recaía pesadamente estremecendo de ponta a ponta. Os mastros e os cabos estalavam e gemiam. As ondas batiam com fúria no casco e varriam a popa.

O navio ora virava todo para a esquerda, ora virava todo para a direita, e os marinheiros davam à bomba para que ele não se enchesse de água. O vento rasgava as velas em pedaços e navegavam sem governo ao sabor do mar.

«Ah!» pensava o Cavaleiro. «Não voltarei a ver a minha terra.»

Mas passados cinco dias o vento amainou, o céu descobriu-se, o mar alisou as suas águas. Os marinheiros içaram velas novas e, com a brisa soprando a favor, puderam chegar ao porto da cidade de Ravena, na costa do Adriático, nas terras de Itália.

Porém, o navio estava tão desmantelado que não podia seguir viagem.

– Esperarei por outro barco – disse o Cavaleiro.

A beleza de Ravena enchia-o de espanto. Não se cansava de admirar as belas igrejas, as altas naves, os leves arcos, as finas fileiras de colunas. Mas, mais do que tudo, admirava os mosaicos multicolores, onde se erguiam esguias figuras de rainhas e santos, que poisavam nele o seu grande olhar.

– Ouve – disse o Mercador ao Cavaleiro –, não fiques aqui à espera de outro navio. Vem comigo até Veneza. Se Ravena te espanta, mais te espantará a minha cidade construída sobre as águas. De Veneza seguirás por terra para o porto de Génova. Assim atravessarás o Norte da Itália e conhecerás as belas e ricas cidades, cuja fama enche a Europa. De Génova partem constantemente navios para a Flandres. E, uma vez na Flandres, depressa chegarás à tua terra.

O Cavaleiro aceitou o conselho do Mercador e seguiu para Veneza.

Veneza, construída à beira do mar Adriático sobre pequenas ilhas e sobre estacas, era nesse tempo uma das cidades mais poderosas do mundo. Ali tudo foi espanto para o dinamarquês. As ruas eram canais onde deslizavam barcos finos e escuros. Os palácios cresciam das águas, que refletiam os mármores, as pinturas, as colunas.

Na vasta Praça de São Marcos, em frente da enorme catedral e do alto campanário, o Cavaleiro mal podia acreditar naquilo que os seus olhos viam.

Aérea e leve, a cidade pousava sobre as águas verdes, ao longo da sua própria imagem.

Passavam homens vestidos de damasco e as mulheres arrastavam no chão a orla dos vestidos bordados. Vozes, risos, canções e sinos enchiam o ar da tarde.

Nunca o Cavaleiro tinha imaginado que pudesse existir no mundo tanta riqueza e tanta beleza. Não se cansava de olhar os degraus de mármore, os mosaicos de oiro, as solenes estátuas de bronze, as águas trémulas dos canais onde se refletiam as leves colunas dos palácios cor-de-rosa, as pontes, os muros cobertos de sumptuosas pinturas, as igrejas e as torres. A cidade parecia-lhe fantástica, irreal, nascida do mar, feita de miragens e reflexos. Era igual às cidades encantadas que as fadas fazem aparecer no fundo dos lagos e dos espelhos.

O Mercador alojou o Cavaleiro no seu palácio e em sua honra multiplicou as festas e os divertimentos. Durante o dia percorriam de gôndola a cidade. Penetravam nas igrejas cobertas de mosaicos e pinturas e paravam nos mercados onde se vendiam aves raras, rendas, tecidos do Oriente, colares de pérolas, anéis de safiras, esporas de oiro e prata, esmaltes e cofres, espadas e punhais com o cabo incrustado de turquesas e marfim, taças e frascos feitos dum vidro finíssimo, multicolor como as águas e leve como espuma.

À noite ceavam na grande sala de mármore azul e verde, ao som da música dos alaúdes. Sobre a mesa, os criados pousavam grandes travessas com faisões assados e pratos transbordantes de frutos. Depois serviam o vinho vermelho nos copos transparentes.

Lá fora, sob a luz azul da Lua, Veneza parecia suspensa no ar.

Certa noite, terminada a ceia, o veneziano e o dinamarquês ficaram a conversar na varanda. Do outro lado do canal via-se um belo palácio com finas colunas esculpidas.

– Quem mora ali? – perguntou o Cavaleiro.

– Agora ali só mora Jacopo Orso com seus criados, mas antes também ali morou Vanina, que era a rapariga mais bela de Veneza. Era órfã de pai e mãe, e Orso era o seu tutor. Quando ela era ainda criança o tutor prometeu-a em casamento a um seu parente chamado Arrigo. Mas quando Vanina chegou aos dezoito anos não quis casar com Arrigo porque o achava velho, feio e maçador. Então Orso fechou-a em casa e nunca mais a deixou sair senão em sua companhia ao domingo, para ir à missa. Durante os dias da semana Vanina, prisioneira, suspirava e bordava no interior do palácio, sempre rodeada e espiada pelas suas aias. Mas, à noite, Orso e as aias adormeciam. Então Vanina abria a janela do seu quarto, debruçava-se na varanda e penteava os seus cabelos. Eram loiros e tão compridos que passavam além da balaustrada e flutuavam leves e brilhantes, enquanto as águas os refletiam. E eram tão perfumados que de longe se sentia na brisa o seu aroma. E os jovens rapazes de Veneza vinham de noite ver Vanina pentear-se. Mas nenhum ousava aproximar-se dela, pois o tutor fizera saber à cidade inteira que mandaria apunhalar pelos seus esbirros aquele que ousasse namorá-la.

E Vanina, jovem e bela e sem amor, suspirava naquele palácio.

Mas um dia chegou a Veneza um homem que não temia Jacopo

Orso. Chamava-se Guidobaldo e era capitão dum navio. O seu cabelo preto era azulado como a asa dum corvo, e a sua pele estava queimada pelo sol e pelo sal. Nunca no Rialto passeara tão belo navegador.

Ora certa noite Guidobaldo passou de gôndola por este canal. Sentiu no ar um maravilhoso perfume, levantou a cabeça e viu Vanina a pentear os cabelos.

Aproximou o seu barco da varanda e disse:

– Para cabelos tão belos e tão perfumados era preciso um pente de oiro.

Vanina sorriu e atirou-lhe o seu pente de marfim.

Na noite seguinte à mesma hora, o jovem capitão tornou a deslizar de gôndola ao longo do canal.

Vanina sacudiu os cabelos e disse-lhe:

– Hoje não me posso pentear porque não tenho pente.

– Tens este que eu te trago e que, mesmo feito de oiro, brilha menos do que o teu cabelo.

Então Vanina atirou-lhe um cesto atado por uma fita, onde Guidobaldo depôs o seu presente.

E daí em diante a rapariga mais bela de Veneza passou a ter um namorado.

Quando esta notícia se espalhou na cidade os amigos do capitão foram preveni-lo de que estava a arriscar a sua vida, pois Orso não lhe perdoaria. Mas ele era forte e destemido, e sacudiu os ombros e riu. Ao fim dum mês foi bater à porta do tutor.

– Que queres tu? – perguntou o velho.

– Quero a mão de Vanina.

– Vanina está noiva de Arrigo e não há de casar com mais ninguém. Sai depressa de Veneza. Tens um dia para saíres da cidade. Se amanhã ao pôr do sol ainda não tiveres partido eu mandarei sete homens com sete punhais para te matarem.

Guidobaldo ouviu, sorriu, fez uma reverência e saiu.

Mas essa noite, no silêncio da noite, a sua gôndola parou junto da varanda da casa de Orso. De cima atiraram um cesto preso por uma fita e dentro dele o jovem capitão depôs uma escada de seda.

O cesto foi puxado para a varanda, e a escada, depois de desenrolada, foi atada à balaustrada de mármore cor-de-rosa. Então, ágil e leve, Vanina desceu com os cabelos soltos flutuando na brisa.

Guidobaldo cobriu-a com sua capa escura, e a gôndola afastou-se e sumiu-se no nevoeiro de outubro.

Na manhã seguinte as aias descobriram a ausência de Vanina e correram a prevenir o tutor.

Jacopo Orso chamou Arrigo e, com ele e os seus esbirros, dirigiu-se para o cais.

Mas quando chegaram lá o navio de Guidobaldo já tinha desaparecido.

– Conta-me o que sabes – disse Orso a um velho marinheiro seu conhecido.

E o homem contou:

– O capitão e a tua pupila chegaram aqui a meio da noite. Mandaram chamar um padre, que os casou ali, naquela pequena capela, que é a capela dos marinheiros. Mal terminou o casamento, embarcaram. E ao primeiro nascer do dia o navio levantou a âncora, içou as velas e navegou para o largo.

Jacopo Orso olhou para a distância. O navio já não se avistava, pois a brisa soprava da terra. As águas estavam verdes, claras, ligeiramente ondulantes, cobertas de manchas cor de prata.

O tutor e Arrigo queixaram-se à Senhoria de Veneza e ao doge. Depois mandaram quatro navios à procura dos fugitivos: um que navegou para norte, outro que navegou para oriente, outro que navegou para o sul, outro que navegou para ocidente. Mas o mar é grande e há muitos portos, muitas baías, muitas cidades marítimas, muitas ilhas. E Vanina e Guidobaldo nunca mais foram encontrados.

Terminada a narração, o Mercador encheu dois copos com vinho e ele e o dinamarquês beberam à saúde de Vanina e do navegador.

E assim, em conversas, festas, ceias e passeios, se passou um mês. E ao cabo desse mês o Mercador disse ao Cavaleiro:

– Não partas. Fica comigo. Associa-te aos meus negócios e estabelece a tua vida aqui. Não há nenhum lugar no mundo melhor do que Veneza. É aqui que todos os dias são cheios de alegria e de surpresa. Fica comigo.

– Não – disse o Cavaleiro. Tenho de partir. Prometi à minha mulher, aos meus filhos, aos meus parentes e criados que estaria com eles no próximo Natal. Partirei daqui a três dias.

E daí a três dias, montado num belo cavalo que o Mercador lhe oferecera, o dinamarquês deixou Veneza.

Além do cavalo, o seu amigo dera-lhe também cartas de apresentação para os homens mais poderosos das cidades do Norte da Itália. Assim ele seria em toda a parte bem recebido.

Abril enchia a terra de flores, todos os regatos cantavam, o céu era azul, o ar morno, a brisa leve. E por planícies, vales, colinas e montes seguia o Cavaleiro.

Aconselhado pelo Mercador, tinha resolvido fazer, a meio da viagem para Génova, um desvio para sul, para conhecer a célebre cidade de Florença.

Passou por Ferrara e Bolonha e viu as altas torres de São Gimi-niano. Dormia nas estalagens ou pedia abrigo nos conventos.

E no princípio de maio chegou a Florença.

Vista do alto das colinas floridas, a cidade erguia no céu azul os seus telhados vermelhos, as suas torres, os seus campanários, as suas cúpulas. O Cavaleiro atravessou a velha ponte sobre o rio, a ponte ladeada de pequenas lojas onde se vendiam coiros, colares de coral, armas, pratos de estanho e prata, lãs, sedas, joias de oiro.

Depois foi através das ruas rodeadas de palácios, atravessou as largas praças e viu as igrejas de mármore preto e branco com grandes portas de bronze esculpido. Por toda a parte se viam estátuas. Havia estátuas de mármore claro e estátuas de bronze. Outras eram de barro pintado. E a beleza de Florença espantou o Cavaleiro, tal como o tinha espantado a beleza de Veneza. Mas aqui tudo era mais grave e austero.

Procurou a casa do banqueiro Averardo, para o qual o seu amigo veneziano lhe tinha dado uma carta.

O banqueiro recebeu-o com grande alegria e hospedou-o em sua casa.

Era uma bela casa, mas nela não se via o grande luxo dos palácios de Veneza. Havia uma biblioteca cheia de antiquíssimos manuscritos, e nas paredes estavam pendurados quadros maravilhosos.

Ao fim da tarde chegaram os amigos do banqueiro Averardo.

Sentaram-se todos para cear e, enquanto comiam e bebiam, iam conversando.

Então o espanto do Cavaleiro cresceu.

Na sua terra ele procurava a companhia dos trovadores e dos viajantes que lhe contavam as suas aventuras e as histórias lendárias do passado. Mas agora, ali, naquela sala de Florença, aqueles homens discutiam os movimentos do Sol e da Lua e os mistérios do céu e da Terra. Falavam de matemática, de astronomia, de filosofia. Falavam de estátuas antigas, falavam de pinturas acabadas de pintar. Falavam do passado, do presente, do futuro. E falavam de poesia, de música, de arquitetura. Parecia que toda a sabedoria da terra estava reunida naquela sala.

Já no meio do jantar levantou-se uma discussão sobre a obra de Giotto.

– Quem é Giotto? – perguntou o Cavaleiro.

– Giotto – respondeu do outro lado da mesa um homem de belo aspeto e longos cabelos anelados que se chamava Filippo – é um pintor do século passado que foi discípulo de Cimabué.

– E Cimabué quem é? – perguntou o Cavaleiro.

Filippo sorriu e respondeu:

– Tal como Adão foi o primeiro homem da Terra, assim Cimabué foi o primeiro pintor da Itália. E foi ele quem descobriu o talento do jovem Giotto. Passou-se isto há mais de cem anos, numa manhã de primavera. Voltava então Cimabué duma viagem quando, a meio do caminho, na vertente dum monte, num lugar solitário e selvagem, viu um grande penedo todo coberto de desenhos. Eram desenhos simples, mas cheios de beleza e de verdade.

– Quem será o pintor que vem pintar as pedras das colinas? – exclamou Cimabué, maravilhado e cheio de surpresa.

E, abandonando o seu caminho, atou o cavalo a uma árvore e resolveu ir examinar outros pedregulhos que se avistavam ao longe.

Depois de ter caminhado quase meia hora por entre pinheiros, ciprestes, urzes e tojos, encontrou um rebanho com o seu pastor.

Enquanto as ovelhas pastavam a erva tenra de abril, o pastor, ajoelhado em frente dum penedo, desenhava.

Era um rapazito que aparentava uns doze anos de idade e estava tão atento, tão absorvido no seu trabalho, que não viu chegar Cimabué nem ouviu o barulho dos seus passos. Estava a desenhar um cordeiro. E havia tanto amor, tanta verdade e tanta beleza no seu desenho que o coração de Cimabué se encheu de espanto e de alegria.

– Ouve, rapaz – disse ele. – Quem te ensinou a desenhar?

Vendo perto dele aquele homem da cidade, o rapaz pôs-se em pé num salto. Depois sorriu e respondeu:

– Ninguém me ensinou. Aprendi sozinho.

– Onde vives?

– Nestes montes.

– Que fazes?

– Guardo o meu rebanho.

– Como te chamas?

– Giotto.

– Ouve, Giotto. Deixa as tuas ovelhas e vem comigo para Florença. Farei de ti meu discípulo e serás um dia um grande pintor.

E assim foi. O pastor seguiu Cimabué, que lhe ensinou todos os segredos da sua arte. O talento deste discípulo espantava todos os dias o seu mestre e em breve espantou Florença. Giotto tornou--se assim o pintor mais célebre daquele tempo. E Dante, que ele retratou e que foi seu amigo, fala dele no seu poema.

– Quem era Dante? – perguntou o Cavaleiro.

– Dante foi o maior poeta da Itália, um poeta que conhecia os segredos deste mundo e do outro, pois viu vivo aquilo que nós só veremos depois de mortos.

– Como é isso? – espantou-se o Cavaleiro.

– É uma história tão extraordinária que muitos creem que Dante a sonhou.

– Diz-me essa história – pediu o Cavaleiro.

E Filippo começou a contar:

– Quando Dante tinha nove anos de idade, viu um dia na rua uma rapariguinha, tão jovem como ele, e que se chamava Beatriz. Beatriz era a criança mais bela de Florença: os seus olhos eram verdes e brilhantes, o seu pescoço alto e fino, os seus cabelos leves e loiros, trémulos sob a brisa. E caminhava com ar tão puro, tão grave e tão honesto que lembrava as madonas que estão pintadas nas nossas igrejas. Dante amou-a desde essa idade e desde esse primeiro encontro. Mas passados anos, em plena juventude, Beatriz morreu. Esta morte foi o tormento de Dante. Então, para esquecer o seu desgosto, começou uma vida de loucuras e erros. Até que um dia, numa Sexta-Feira Santa, a 8 de abril do ano de 1300, se encontrou perdido no meio duma floresta escura e selvagem. Aí lhe apareceram um leopardo, um leão e uma loba. Dante olhou então à roda de si e viu passar uma sombra. Ele chamou-a em seu auxílio e a sombra disse-lhe:

«Sou a sombra de Virgílio, o poeta morto há mais de mil anos, e venho da parte de Beatriz para te guiar até ao lugar onde ela te espera.»

Dante seguiu Virgílio. Primeiro passaram sob a porta do Inferno onde está escrito: «Vós que entrais deixai toda a esperança.»

Depois atravessaram os nove círculos onde estão os condenados. Viram aqueles que estão cobertos por chuvas de lama, viram os que são eternamente arrastados em tempestades de vento, viram os que moram dentro do fogo e viram os traidores, presos em lagos de gelo. Por toda a parte se erguiam monstros e demónios, e Dante agarrava-se a Virgílio, tremendo de terror. E por toda a parte reinava a escuridão como numa mina. Pois era ali um reino subterrâneo, sem Sol, sem Lua e sem estrelas, iluminado apenas pelas chamas infernais.

Depois de terem percorrido todos os abismos do Inferno voltaram à luz do Sol e chegaram ao Purgatório, que é um monte no meio duma ilha subindo para o céu. Aí Dante e Virgílio viram as almas que através de penitências e preces vão a caminho do Paraíso. Neste lugar já não se viam demónios, mas em cada novo caminho surgiam anjos brilhantes como estrelas.

Até que chegaram ao Paraíso Terrestre, que fica no cimo do monte do Purgatório. Aí, entre relvas, bosques, fontes e flores, Dante tornou a ver Beatriz. Trazia na cabeça um véu branco cingido de oliveira, os seus ombros estavam cobertos por um manto verde e o seu vestido era da cor da chama viva. Vinha num carro puxado por um estranho animal, metade leão e metade pássaro.

– Dante – disse ela –, mandei-te chamar para te curar dos teus erros e pecados. Já viste o que sofrem as almas do Inferno e já viste as grandes penitências daqueles que estão no Purgatório. Agora vou-te levar comigo ao Céu, para que vejas a felicidade e a alegria dos bons e dos justos.

Guiado por Beatriz, o poeta atravessou os nove círculos do Céu. Caminharam entre estrelas e planetas, rodeados de anjos e cânticos. E viram as almas dos justos cheias de glória e de alegria. Quando chegaram ao décimo Céu, Beatriz despediu-se do seu amigo e disse-lhe:

– Volta à Terra e escreve num livro todas estas coisas que viste. Assim ensinarás os homens a detestarem o mal e a desejarem o bem.

Dante voltou a este mundo e cumpriu a vontade de Beatriz. Escreveu um longo e maravilhoso poema chamado «A Divina Comédia», no qual contou a sua viagem através do reino dos mortos.

A notícia desta viagem causou grande espanto em Florença. Quando Dante passava na rua todos se viravam para o ver, pois diziam que ele ainda tinha a barba «chamuscada pelo fogo do Inferno que tinha atravessado».

– É verdadeiramente a história mais extraordinária que ouvi em toda a minha vida – disse o Cavaleiro. – Compreendo que Dante tenha sido recebido com grande espanto e curiosidade. E, mais ainda, julgo que daí em diante deve ter sido um homem de grande autoridade, respeitado e escutado por todos os seus concidadãos.

– De facto – disse Filippo –, devia ter sido assim, mas não foi assim que aconteceu. Quando, depois de ter atravessado os três países da morte, o poeta voltou a Florença, encontrou a cidade apaixonada por grandes lutas políticas. Havia nesse tempo dois partidos que dividiam a Itália: o partido dos Guelfos e o partido dos Gibelinos. Dante era gibelino, e aconteceu que nesse ano de 1300 ele foi eleito para o Governo da cidade. Mas tempos depois o seu partido foi vencido e o poeta foi exilado. Mais tarde os seus inimigos também o condenaram a ser queimado vivo. Felizmente nessa altura ele já estava longe de Florença e assim escapou à morte e ao suplício. Mas nunca mais pôde voltar à sua cidade natal e viveu até ao fim da sua vida vagueando como refugiado político pelas outras cidades italianas. E foi neste exílio, separado de Beatriz pela morte e separado de Florença pela injustiça dos homens, que Dante escreveu a «Divina Comédia»...

Houve um silêncio quando Filippo acabou de falar.

Mas logo dois sábios começaram a discutir as leis que regem os movimentos dos sete planetas. E o Cavaleiro, maravilhado com tudo quanto ouvia e via, resolveu demorar-se algum tempo mais naquela cidade.

De dia percorria as ruas e as praças e visitava os conventos, os palácios, as bibliotecas e as igrejas. À noite ouvia as sábias conversas dos amigos de Averardo.

E passado um mês disse-lhe o banqueiro:

– Associa-te aos meus negócios e estabelece a tua vida em Florença. Há no mundo cidades mais poderosas e mais ricas, mas é aqui que existe a maior ciência. Se queres estudar Matemática e Geometria fica em Florença. Se queres aprender a regra do número de oiro fica em Florença. Se queres saber como se movem os astros no céu fica em Florença. Se queres compreender a escultura, a pintura, a arquitetura e a poesia fica em Florença.

Mas o Cavaleiro sorriu e respondeu:

– Agradeço o teu convite. Desde que aqui estou, todos os dias me espanto e me maravilho com aquilo que vejo, oiço e aprendo. Mas lá longe, no meu país do Norte, os meus filhos, a minha mulher e os meus criados estão à minha espera. Quero passar com eles o próximo Natal como lhes prometi. Dentro de três dias terei de partir.

Então Averardo deu-lhe uma carta de recomendação para um rico comerciante da Flandres, seu cliente e amigo.

E três dias depois o Cavaleiro deixou Florença.

Viajava agora com pressa para embarcar no porto de Génova num dos navios que, no princípio do verão, sobem da Itália para Bruges, Gand e Antuérpia.

Mas já no fim do caminho, a pouca distância de Génova, adoeceu. Foi talvez do sol que o escaldava enquanto cavalgava por vales e montes, ou foi da água que bebeu de um poço onde iam à noite beber os sardões.

Tremendo de febre, foi bater à porta dum convento. Os frades que o recolheram tiveram grande trabalho para o salvar, pois o Cavaleiro parecia ter o sangue envenenado e delirava dia e noite. Nesse delírio imaginava que nunca mais conseguia chegar ao seu país, pois Veneza erguia-se das águas e arrastava-o consigo para o fundo do mar, e as estátuas de Florença formavam exércitos de bronze e mármore que não o deixavam passar.

Os frades trataram-no com chás de raízes de flores, com pílulas de aloés, com xaropes de mel e vinho quente, com pós misteriosos e emplastros de farinhas e ervas. A febre foi baixando lentamente e só acabou de todo ao fim dum mês e meio. Então o Cavaleiro quis seguir viagem, mas estava tão fraco, magro e pálido que os frades não o deixaram partir.

Teve de esperar mais um mês no pequeno convento calmo e silencioso. Estendido na sua cela caiada escutava o murmurar das fontes na cerca e os cânticos dos religiosos. Depois, à tarde, passeava no claustro quadrado admirando nas paredes as suaves pinturas dos frescos, que contavam os milagres maravilhosos dos santos. Na parede da direita via-se Santo António pregando aos peixes e na parede da esquerda via-se São Francisco fazendo um pacto com o lobo de Gubbio.

No meio do claustro corria uma fonte e em sua roda cresciam cravos e rosas brancas. No céu azul as andorinhas cruzavam o seu voo.

E das colunas, do murmúrio da fonte, das flores, das pinturas e das aves erguia-se uma grande paz, como se os homens, os

**33**

animais, as plantas e as pedras tivessem encontrado um reino de aliança e de amor.

Nesta paz as forças do Cavaleiro cresciam dia a dia, até que, ao cabo de cinco semanas de descanso, ele pôde despedir-se dos frades e continuar o seu caminho.

Então dirigiu-se para Génova.

Mas quando chegou ao grande porto de mar era já o fim de setembro e os navios que seguiam para a Flandres já tinham partido todos. Percorreu os cais, falou com os capitães, foi à casa dos armadores. A resposta que lhe davam era sempre a mesma: só daí a vários meses poderia arranjar navio para a Flandres.

Primeiro o Cavaleiro ficou desesperado com estas notícias e durante dois dias não comeu nem dormiu. Mas depois recuperou o ânimo e resolveu seguir viagem por terra, a cavalo, até Bruges.

Atravessou os Alpes, atravessou os campos, as planícies, os vales e as montanhas da França.

Agora só parava para comer e dormir, ansioso de chegar antes do Natal à sua terra.

Mas quando chegou à Flandres era já inverno e sobre os telhados e os campos caía a primeira neve.

O Cavaleiro dirigiu-se para Antuérpia e aí procurou o negociante flamengo, para o qual o banqueiro Averardo lhe tinha dado uma carta.

Encontrou o negociante em sua casa, aquecendo as mãos à lareira, vestido com uma bela roupa de pano verde, larga e debruada de peles pretas. O flamengo recebeu o viajante com grande amabilidade e convidou-o para ficar em sua casa.

Mal se sentaram para jantar, o Cavaleiro espantou-se com o paladar da comida, que estava temperada com especiarias para ele desconhecidas.

O negociante riu-se, abanou a cabeça e disse:

– Vê-se que conheces mal o mundo novo.

Indignado com estas palavras, o Cavaleiro começou a narrar a sua viagem.

Quando ele terminou, o flamengo disse:

– Contaste uma bela história, mas daqui a pouco vai chegar alguém que te contará histórias muito mais espantosas.

De facto, passado pouco tempo, bateram à porta da casa, ouviram-se passos na escada, e depois penetrou na sala um homem alto e forte, de aspeto rude, pele queimada pelo sol e andar ba-loiçado.

– Este é um dos capitães dos meus navios – disse o negociante. – Voltou há dois dias duma viagem.

O recém-chegado poisou em cima da mesa três pequenos cofres e disse:

– Aqui estão três amostras das mercadorias que trago.

O primeiro cofre estava cheio de pequenas pérolas, o segundo cofre estava cheio de oiro e o terceiro cofre estava cheio de pimenta.

Espantou-se o Cavaleiro com aquilo que via, pois naquele tempo a pimenta era quase tão rara como o oiro.

O dono da casa pôs mais lenha na lareira, serviu vinho aos seus hóspedes, e os três homens sentaram-se em frente do lume.

Então, a pedido do negociante, o capitão começou a falar das suas viagens. Contou como desde muito novo tinha seguido a car-reira de marinheiro, viajando por todos os portos da Europa desde o mar Báltico até ao Mediterrâneo. Mas era sobretudo entre a Flandres e os portos da Península Ibérica que viajava. Um dia, porém, teve desejo de ir mais longe, de ir até às terras desconheci-das que surgiam do mar. Então resolveu alistar-se nas expedições portuguesas que navegavam para o sul, à procura de novos países. Foi a Lisboa e aí embarcou numa caravela que partia a reconhecer e a explorar as costas de África.

Seguiram das margens do Tejo para as Canárias, onde pararam alguns dias. Depois continuaram viagem, aproximaram-se da terra africana, dobraram o cabo Bojador e seguiram, à vista das costas desertas, queimadas pelo sol, sem árvores, e sem homens. Junto ao cabo Branco ancoraram o navio num abrigo formado por altos penedos. Então homens de pele sombria, envolvidos em mantos flutuantes e montados em camelos, vieram à orla da praia negociar com os portugueses. E as caravelas continuaram a navegar para o sul, muito para o sul. Uma brisa constante inchava as grandes velas e os mastros e os cabos gemiam docemente. Até que, para além das intermináveis costas nuas e vazias, sem árvores e sem sombra, surgiram as primeiras palmeiras. Depois começaram a aparecer espessas e verdes florestas que cobriam toda a terra, desde as praias brancas até aos distantes montes azulados. E dessas florestas surgiam homens nus e negros, que embarcavam em pirogas e rodeavam os navios. Os marinheiros portugueses traziam ordem de se entenderem com eles. Mas isto era difícil. Em geral as pirogas não chegavam ao alcance dos navios e outras vezes, mesmo, os negros desapareciam entre o arvoredo mal as caravelas ancoravam. Então os marinheiros que desembarcavam eram recebidos com flechas envenenadas dos homens escondidos.

Porém, havia paragens onde os africanos e os portugueses já se conheciam e negociavam. E às vezes, em lugares da costa onde nunca um navio tinha parado, acontecia serem acolhidos com festa e alvoroço. Então, bailando e cantando, os negros vinham ao encontro dos navegadores que, para corresponderem ao bom acolhimento, bailavam e dançavam também, à moda da sua terra.

Mas o entendimento entre ambas as partes, muita vez, pouco mais avançava, pois uns e outros não entendiam as respetivas linguagens, e mesmo os intérpretes berberes não conheciam a fala usada em tão longínquas paragens. Este desentendimento das línguas foi a causa de muitas mortes e combates. Assim um dia a caravela ancorou em frente duma larga e bela baía rodeada de maravilhosos arvoredos. Na longa praia de areia branca e fina, um pequeno grupo de negros espreitava o navio. Então o capitão resolveu mandar a terra dois batéis com homens, para que tentassem estabelecer contacto com os africanos. Mas, logo que os batéis tocaram a areia, os negros fugiram e desapareceram no arvoredo.

– Talvez tenham tido medo, por verem que nós somos muitos e eles são poucos – disse um português chamado Pêro Dias.

E pediu aos seus companheiros que lhe deixassem um batel e embarcassem todos no outro e se afastassem da praia. Mas os companheiros acharam este plano tão arriscado que não o quiseram aceitar. Porém, Pêro Dias insistiu tanto que eles acabaram por fazer como ele pedia e remaram para o largo.

O português, mal ficou sozinho, caminhou até meio da praia e ali colocou panos coloridos que tinham trazido como presente. Depois recuou até à orla do mar, encostou-se ao batel que ficara e esperou. Ao cabo de algum tempo saiu da floresta um homem, que trazia na mão uma lança longa e fina e avançava, negro e nu, na claridade da praia. Avançava passo por passo, lentamente, vigiando os gestos do homem branco que, junto do batel, continuava

imóvel. Quando chegou perto dos panos parou e examinou com alvoroço a oferta. Depois ergueu a cabeça, encarou o português e sorriu. Este sorriu também e avançou uns passos. Houve uma pequena pausa. Depois, num acordo mútuo, os dois homens, sorrindo, caminharam ao encontro um do outro. Quando entre eles ficaram só seis passos de distância, pararam.

– Quero paz contigo – disse o branco na sua língua.

O negro sorriu e respondeu três palavras desconhecidas.

– Quero paz contigo – disse o branco em árabe.

O negro tornou a sorrir e tornou a responder as palavras ininteligíveis.

– Quero paz contigo – disse o branco em berbere.

O negro sorriu de novo e mais uma vez respondeu as três palavras exóticas.

Então Pêro Dias começou a falar por gestos. Fez o gesto de beber e o negro apontou-lhe a floresta. Fez o gesto de comer e o negro apontou-lhe a floresta. Com um gesto de convite, o marinheiro apontou o seu batel.

Mas o negro sacudiu a cabeça e recuou um passo. Vendo-o retrair-se, o português, para voltar a estabelecer a confiança, começou a cantar e a dançar. O outro, com grandes saltos, cantos e risos, seguiu o seu exemplo. Em frente um do outro bailaram algum tempo. Mas no ardor do baile e da mímica, Pêro Dias ergueu no ar a sua espada, que faiscou ao sol. O brilho assustou o nativo, que deu um pulo para trás e estremeceu. Pêro Dias fez um gesto para o sossegar. Mas o outro começou a fugir, e o navegador precipitou-se no seu encalço e agarrou-o por um braço. Vendo-se preso, o negro principiou a debater-se, primeiro com susto, depois com fúria. Com gritos roucos e sílabas guturais, respondia às palavras e aos gestos que o tentavam apaziguar. Ao longe, no mar, os companheiros de Pêro Dias avistaram a luta e principiaram a remar para a praia.

O negro viu-os aproximarem-se, julgou-se cercado e perdido e apontou a sua lança. Pêro Dias, com a espada, tentou aparar o golpe, mas ambos caíram trespassados.

Os portugueses saltaram do batel e correram para os corpos estendidos. Do peito do negro e do do branco corriam dois fios de sangue.

– Olhem – disse um moço –, o sangue deles é exatamente da mesma cor.

De bordo veio o capitão com mais gente e todos, durante uma hora, choraram o triste combate.

O Sol subia no céu e aproximava-se o calor do meio-dia. Não sabendo quando voltariam a desembarcar, o capitão resolveu não levar para bordo o cadáver de Pêro Dias. Os dois corpos foram sepultados ali mesmo, na praia. E, com a lança do gentio e a espada do cristão, os marinheiros fizeram uma cruz, que espetaram na areia, entre os túmulos dos dois homens mortos por não poderem dialogar.

Chegado a este ponto da sua narrativa o capitão flamengo calou-se uns momentos, olhando o lume.

O negociante serviu de novo vinho aos seus hóspedes e até altas horas continuaram a ouvir o marinheiro da Flandres, contando as longínquas viagens, as ilhas desertas, as árvores descomunais, as tempestades, as calmarias, os povos misteriosos.

No dia seguinte o Cavaleiro disse ao negociante que queria seguir por mar para a Dinamarca.

– Estamos em novembro – respondeu o flamengo –, o frio aumenta todos os dias e está anunciado um inverno rigoroso. Creio que não acharás tão cedo um navio que te leve à tua terra. Com medo dos gelos e dos temporais ninguém agora se arriscará a viajar para o Norte.

Esta notícia deixou o Cavaleiro consternado. Primeiro não se quis conformar e durante três dias percorreu a cidade de Antuérpia. Falou com capitães e armadores, mas a resposta foi sempre a mesma.

– Nesta época do ano e com inverno tão rigoroso, não há navio nenhum que se atreva a navegar para o Norte.

Na noite do terceiro dia, depois do jantar, quando se sentaram os dois ao lado da lareira, o negociante serviu vinho ao seu hóspede e disse-lhe:

– Tenho uma proposta a fazer-te. Vejo que gostas de viagens e aventuras e eu preciso de homens dispostos a correr o mundo. Pois os meus negócios todos os dias aumentam e procuro associados que me possam ajudar. Chegou o tempo das navegações, começou uma era nova e os homens capazes de empreendimento podem agora ganhar fortunas fabulosas. Associa-te comigo. Viajarás nos meus navios. E talvez mesmo um dia possas navegar para o sul, para as novas terras, nas caravelas dos portugueses.

Mas o Cavaleiro sacudiu a cabeça e respondeu:

– As histórias dos mares, das ilhas, dos povos desconhecidos e dos países distantes são maravilhosas e enchem-me de espanto. Mas prometi chegar este Natal à minha casa. Farei a viagem por terra e partirei amanhã.

– Vai ser uma viagem dura – disse o flamengo.

E assim foi. Os rios estavam gelados, a terra coberta de neve. O frio aumentava e os dias eram cada vez mais curtos. Os caminhos pareciam não ter fim. De noite, nas estalagens, o Cavaleiro sonhava que os palácios de Veneza, as estátuas de Florença e os negros nus da costa africana se erguiam dos campos cobertos de neve, o rodeavam e o impediam de continuar.

Então acordava em sobressalto e parecia-lhe que todas as forças do mundo se tinham reunido para o separar da sua casa e dos seus. Mas de madrugada partia novamente.

Caminhou durante longas semanas. Como os dias eram curtos e não se podia viajar de noite, avançava lentamente. Enrolava-se bem no capote forrado de peles que comprara em Antuérpia, mas mesmo assim o frio gelava-o até aos ossos.

Finalmente, na antevéspera do Natal, ao fim da tarde, chegou a uma pequena povoação que ficava a poucos quilómetros da sua floresta. Aí foi recebido com grande alegria pelos seus amigos, que ao cabo de tão longa ausência já o julgavam perdido. Um deles hospedou-o em sua casa e emprestou-lhe um cavalo seu, pois o do viajante vinha exausto e coxo. O Cavaleiro pediu notícias daqueles que deixara.

– Estão à tua espera, afligem-se pela tua demora e rezam pelo teu regresso – respondeu um amigo.

E na madrugada seguinte o peregrino partiu.

Era o dia 24 de dezembro, um dos dias mais curtos do ano, e ele caminhava com grande pressa, pois queria aproveitar as poucas horas de luz.

Antes da meia-noite, sem falta, tinha de chegar à sua casa na clareira de bétulas.

E ao fim de três quilómetros de marcha, cheio de confiança, penetrou na grande floresta. A alegria de estar já tão perto dos seus fazia-lhe esquecer o cansaço e o frio.

Mas agora, depois de quase dois anos de ausência, a floresta parecia-lhe fantástica e estranha. Tudo estava imóvel, mudo, suspenso. E o silêncio e a solidão pareciam assustadores e desmedidos.

O inverno tinha despido as árvores, e os ramos nus desenhavam-se negros, esbranquiçados, avermelhados. Só os pinheiros, cobertos de agulhas, continuavam verdes. Eram daqueles pinheiros do Norte que se chamam abetos, que são largos em baixo e afilados em cima, que têm o tronco coberto de ramos desde o chão e crescem em forma de cone da terra para o céu.

A neve apagara todos os rastos, todos os carreiros. E através do labirinto do arvoredo, o Cavaleiro procurava o seu caminho. O seu plano era chegar ainda com dia a uma pequena aldeia de lenhadores que ficava perto do rio que passava junto da sua casa. Uma vez encontrado esse rio, mesmo de noite, não se poderia perder, pois o curso gelado o guiaria.

À medida que avançava, os seus ouvidos iam-se habituando ao silêncio e começavam a distinguir ruídos e estalidos. Era um esquilo saltando de ramo em ramo, uma raposa que fugia na neve. Depois, ao longe, entre os troncos das árvores, avistou um veado. Caminhava em direção ao nascente e ao fim de uma hora encontrou na neve rastos frescos de trenós.

«Bom sinal» pensou ele, «não me enganei no caminho.»

De facto, seguindo esses rastos, depressa chegou à pequena aldeia dos lenhadores.

Todas as portas se abriram, e os homens da floresta reconheceram o Cavaleiro, que rodearam com grandes saudações. Este penetrou na cabana maior e sentou-se ao pé do lume, enquanto os moradores lhe serviram pão com mel e leite quente.

– Já pensávamos que não voltasses mais – disse um velho de grandes barbas.

– Demorei mais do que queria – respondeu o peregrino. Mas graças a Deus cheguei a tempo. Hoje, antes da meia-noite, estarei em minha casa.

– É tarde – disse o velho –, o dia já escureceu, vai nevar e de noite não poderás caminhar.

– Nasci na floresta – respondeu o peregrino; – conheço bem todos os seus atalhos. Seguindo ao longo do rio não me posso perder.

– A floresta é grande e na escuridão ninguém a conhece. Fica connosco e dorme esta noite na minha cabana. Amanhã, ao romper do dia, seguirás o teu caminho.

– Não posso – tornou o Cavaleiro –, prometi que estaria hoje em minha casa.

– A floresta está cheia de lobos esfomeados. Que farás tu se uma matilha te assaltar?

Mas o Cavaleiro sorriu e respondeu:

– Não sabes que na noite de Natal as feras não atacam o homem?

E tendo dito isto levantou-se, despediu-se dos lenhadores, montou a cavalo e seguiu o seu caminho.

Dirigiu-se para a esquerda, procurando o curso gelado do rio. Mas, mal se afastou um pouco da aldeia, a neve começou a cair, tão espessa e cerrada que o Cavaleiro mal via.

«Depressa» pensava ele, «tenho de chegar depressa ao pé do rio.»

E, puxando mais o capuz para a testa, continuou a avançar.

Mas o rio não aparecia, e a noite começou a avançar.

O homem parou e escutou.

«Era mais prudente voltar para trás» pensou ele. «Mas se eu não chegar hoje, a minha mulher, os meus filhos e os meus criados pensarão que morri ou me perdi nas terras estrangeiras. Passarão um Natal de tristeza e aflição. É preciso que eu chegue hoje.»

E continuou para a frente.

Agora nenhum ramo estalava e não se ouvia o menor rumor. Os esquilos, as raposas e os veados já estavam recolhidos nas suas tocas. O cair da neve parecia multiplicar o silêncio.

E o rio parecia ter-se sumido.

«Talvez me tenha enganado no caminho» pensou o Cavaleiro, «vou mudar de direção.»

E virou um pouco mais para a esquerda. Mas continuou a escurecer, a neve continuou a cair, o silêncio continuou a crescer e o homem e o rio não se encontravam.

E devagar anoiteceu mais.

As horas uma por uma foram passando e, longamente, o Cavaleiro avançou, perdido na escuridão.

Por mais que se enrolasse no seu capote, o ar arrefecia-o até aos ossos e as suas mãos começavam a gelar.

Já não sabia há quanto tempo caminhava, e a floresta era como um labirinto sem fim, onde os caminhos andavam à roda e se cruzavam e desapareciam.

– Estou perdido – murmurou ele baixinho.

Então a treva encheu-se de pequenos pontos brilhantes, avermelhados e vivos.

Eram os olhos dos lobos.

O Cavaleiro ouvia-os moverem-se em leves passos sobre a neve, sentia a sua respiração ardente e ansiosa, adivinhava o branco cruel dos seus dentes agudos.

Em voz alta disse:

– Hoje é noite de trégua, noite de Natal.

E ao som destas palavras os olhos recuaram e desapareceram.

Mais adiante ouviu-se o ronco dum urso.

O Cavaleiro estacou a sua montada e a fera aproximou-se. Vinha de pé e pousou as patas da frente no pescoço do cavalo.

O homem ouviu-o respirar, sentiu o seu pelo tocar-lhe a mão e viu a um palmo de si o brilho dos pequenos olhos ferozes.

E em voz alta disse:

– Hoje é noite de trégua, noite de Natal.

Então o bicho recuou pesadamente e, grunhindo, desapareceu.

E o Cavaleiro, entre silêncio e treva, continuou a caminhar para a frente.

Caminhava ao acaso, levado por pura esperança, pois nada via e nada ouvia. As ramagens roçavam-lhe a cara e caminhava sem norte e sem oriente.

O cavalo enterrava-se na neve e avançava muito devagar. Até que de repente parou. O homem tocou-o com as esporas, mas ele continuou imóvel e hirto.

«Vou morrer esta noite» pensou o Cavaleiro.

Então lembrou-se da grande noite azul de Jerusalém, toda bordada de constelações. E lembrou-se de Baltasar, Gaspar e Melchior, que tinham lido no céu o seu caminho. O céu aqui era escuro, velado, pesado de silêncio. Nele não se ouvia nenhuma voz nem se via nenhum sinal. Mas foi em frente desse céu fechado e mudo que o Cavaleiro rezou.

Rezou a oração dos Anjos, o grande grito de alegria, de confiança e de aliança que numa noite antiquíssima tinha atravessado o céu transparente da Judeia. As palavras ergueram-se uma por uma no puro silêncio da neve:

– Glória a Deus nas alturas e paz na terra aos homens de boa vontade.

Então na massa escura dos arvoredos começou ao longe a crescer uma pequena claridade.

– Deus seja bendito – murmurou o Cavaleiro. Deve ser uma fogueira. Deve ser algum lenhador perdido como eu, que acendeu uma fogueira. A minha reza foi ouvida. Junto de um lume e ao lado de outro homem poderei esperar pelo nascer do dia.

O cavalo relinchou. Também ele tinha visto a luz. E, reunindo as suas forças, o homem e o animal recomeçaram a avançar.

A luz continuava a crescer e, à medida que crescia, subindo do chão para o céu, ia tomando a forma dum cone.

Era um grande triângulo radioso, cujo cimo subia mais alto do que todas as árvores.

Agora toda a floresta se iluminava. Os gelos brilhavam, a neve mostrava a sua brancura, o ar estava cheio de reflexos multicolores, grandes raios de luz passavam entre os troncos e as ramagens.

«Que maravilhosa fogueira» pensou o Cavaleiro. «Nunca vi fogueira tão bela.»

Mas quando chegou em frente da claridade viu que não era uma fogueira. Pois era ali a clareira de bétulas onde ficava a sua casa. E ao lado da casa, o grande abeto escuro, a maior árvore da floresta, estava coberta de luzes. Porque os anjos do Natal a tinham enfeitado com dezenas de pequeninas estrelas para guiar o Cavaleiro.

Esta história, levada de boca em boca, correu os países do Norte. E é por isso que na noite de Natal se iluminam os pinheiros.

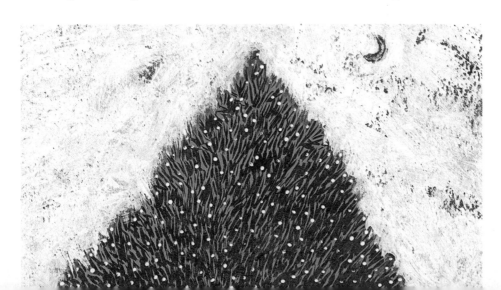

# Sophia de Mello Breyner Andresen
1919 · 2004

Sophia de Mello Breyner Andresen nasceu no Porto, a 6 de novembro de 1919. As suas raízes dinamarquesas remontam ao bisavô paterno, Jan Heinrich Andresen, que partira da Dinamarca em direção à América a bordo de um pequeno navio, mas decidiu começar uma vida nova na cidade do Porto, tendo sido muito bem-sucedido. Em 1895, o filho João Henrique adquiriu a Quinta do Campo Alegre. Foi nesta quinta – atual Jardim Botânico do Porto – e na praia da Granja – onde passava as férias de verão – que a futura escritora viveu a infância e a juventude e onde terá recebido influências decisivas para a sua obra.

Quando falamos de Sophia, pensamos de imediato numa das mais importantes poetisas portuguesas do século XX. Entre 1944 e 1997, publicou catorze livros de poesia, nos quais privilegiou temas como a Natureza – com destaque para o mar, a sua beleza e os seus mitos –, a procura da justiça, a civilização grega, a importância da poesia, entre outros. Mas a autora dedicou-se também à prosa. Na sequência do casamento com o jornalista, político e advogado Francisco Sousa Tavares, em 1946, foi mãe de cinco filhos, para quem começou a escrever contos infantis. Além da literatura infantil, Sophia escreveu outras obras narrativas e também peças de teatro.

Em termos cívicos, a escritora caracterizou-se por uma atitude interventiva, tendo denunciado ativamente o regime salazarista e os seus seguidores. Apoiou a candidatura do general Humberto Delgado e subscreveu a *Carta dos 101 católicos* contra a guerra colonial e o apoio da Igreja Católica à política de

Salazar. Foi ainda fundadora e membro da Comissão Nacional de Apoio aos Presos Políticos. Após o 25 de Abril, foi eleita para a Assembleia Constituinte, em 1975, pelo círculo do Porto, numa lista do Partido Socialista. Foi também público o seu apoio à independência de Timor-Leste, consagrada em 2002.

Em 1999, Sophia foi a primeira mulher portuguesa a receber o Prémio Camões. Recebeu ainda o Prémio Max Jacob (2001) e o Prémio Rainha Sofia de Poesia Ibero-Americana (2003), entre outros.

Faleceu aos 84 anos, no dia 2 de julho de 2004, em Lisboa. Nesse mesmo ano, o Oceanário de Lisboa atribuiu o seu nome a uma sala e afixou alguns dos seus poemas, relativos ao mar, nas zonas de descanso do espaço de exposição permanente.

No dia 2 de julho de 2014, décimo aniversário da sua morte, por decisão e votação unânime da Assembleia da República, o corpo de Sophia de Mello Breyner Andresen foi trasladado para o Panteão Nacional.

**BIBLIOGRAFIA EM PROSA** (uma seleção)

LITERATURA INFANTIL
**1958** A Menina do Mar  **1958** A Fada Oriana  **1959** A Noite de Natal
**1964** O Cavaleiro da Dinamarca  **1965** O Rapaz de Bronze  **1968** A Floresta
**1985** A Árvore  **2012** Os Ciganos (em coautoria com Pedro Sousa Tavares)

CONTO
**1962** Contos Exemplares  **1965** Os Três Reis do Oriente  **1979** A Casa do Mar
**1984** Histórias da Terra e do Mar  **1997** Era uma vez uma Praia Atlântica
**2003** O Anjo de Timor  **2008** Quatro Contos Dispersos

TEATRO
**1961** O Bojador  **2001** O Colar